TO ANDREW !

LONDON 5/12 '97.

IVAR AASEN

EI HISTORIE OM KJÆRLEIK

ERNA OSLAND

ARILD MIDTHUN

DET NORSKE SAMLAGET

Oslo 1996

© 1996 Det Norske Samlaget
Omslag, grafisk form, bildebehandling: Subtopia/Marius Renberg
Kalligrafi side 40,41 og 52: Judith Hauge Nærland
Trykk: a.s Joh. Nordahls Trykkeri
Printed in Norway

ISBN 82-521-4766-6
Utgitt med støtte frå Norsk kulturfond

KOMME

DU MÅ KOMME NO, IVAR!

SNUSDÅSEN...

SNUSDÅSEN TIL FAR, DEN VAR AV SØLV, SÅ BLANK OG FIN. EG BRUKTE Å FÅ LÅNE DEN NÅR EG VAR LEI MEG.

FØRSTE GONG DÅ SYSTER MI VART MOR FOR MEG.

MEN OGSÅ SYSTER MI FÓR

OG FAR.

SJU BARN LET HAN ETTER SEG, EIN GARD OG EIN DÅSE I SØLV.

DET VAR EG SOM FEKK DÅSEN.

BROR MIN FEKK GARDEN ...

OG ANSVARET FOR SYSKENA SINE.

HAKKING OG STAVING OG GRÅT VART DET.

SÅ DÅ PROSTEN BAD MEG KOMME TIL HERØY, TAKKA EG STRAKS JA.

DET VAR BERTE SOM TOK IMOT MEG.

DET ER DU SOM SKAL I LÆRE HJÅ PROSTEN ?

SÅ VÅT DU ER, LA MEG TA JAKKA DI !

DET ER DÅ REINT FOR MYKJE.

SOKKANE ER VEL IKKJE FOR TURRE, DEI HELLER ?

KOM BERRE, MATEN VENTAR !

10

PROSTEN SKULLE LÆRE MEG GRAMMATIKK, GEOGRAFI, SOGE OG LATIN.

LATINEN, IVAR, ER DEN SOM SKAL FÅ DEG FRAM...

...TIL UNIVERSITETET.

TIL EIT EMBETE...

...TIL DEN HØGE STAND.

MEN VILLE EG DET? VAR DET DERFOR EG VAR KOMMEN HIT?

"KJÆRE SIVERT... DE LÆREGJENSTANDE JEG NU HAR FOR MIG, ERE FORDETMESTE LATIN."

"LATINSK GRAMMATIK HAR FALT MIG LET. JEG HAVE STOR FORNØIELSE AF AT LÆRE ALT SOM TIL NU VAR MIG UKJENT."

"OG KJÆRE VEN, HER ER ADSKILLIGT NYT AT LÆRE."

BERTE?

"NYT OG BEHAGE-LIGT."

EG HAR NOKO TIL DEG!

VER SÅ GOD!

HEILT NYE...

TIL MEG...

VENT! EG SAT OG SKREIV!

I MINE EIGNE TANKAR...

TAKK, DÅ!

TAKK SÅ MYKJE!

TUSEN TAKK!

15

EG GJORDE MANGE FREISTNADER PÅ Å SKRIVE VITSKAPLEGE UTGREIINGAR. MEN ALT GJEKK SÅ SEINT, EG FEKK IKKJE ARBEIDET UNNA.

"HJEMBRAGT ENDEEL "ARBUTUS ALPINA", "BETULA NANA" OG "LICHEN ISLANDICUS". I SVARTELØK FUNDET REDET TIL EN FUGL..."

IVAR, HAR DU GLØYMT OSS?

SKAL VI IKKJE HA SKOLE I DAG?

EG KJEM NO!

HAR DU TRYKT BLOMANE FLATE?

DET ER EI BLOMESAMLING, MARIE.

EIT HERBARIUM.

ALT DU VEIT!

OG FÅR TIL!

EG? IKKJE NOKO HADDE EG FÅTT TIL. IKKJE NOKO HADDE EG FÅTT FERDIG.

KVAR DAG GJORDE EG NYE
OPPTEIKNINGAR, NYE
UNDERSØKINGAR. EG
VAR KOMMEN INN PÅ
TANKAR SOM EG IKKJE
KUNNE SLEPPE.

EG SKULLE
TREFFE HAN
IVAR.

IVAR?

HAN ER NOK PÅ
ROMMET SITT. EG SKAL
HENTE HAN, EG.

IVAR!

MOR SEIER HAN ER GÅTT
I UTMARKA. HO SÅG HAN.

I UTMARKA?
VI HADDE EIN
AVTALE!

SÅ HAR HAN
GLØYMT DET.

GLØYMT?
HAN OG EG, VI
ER DÅ...

DE ER
DÅ...?

EG VIL
FINNE
HAN.

BREVET VAR FRÅ EKSET.

SIVERT VAR DØD, STOD DET, MIN BESTE VEN.

VI TO – EG OG SIVERT – VI HADDE HATT SÅ MANGE PLANAR, SÅ MANGE GILDE DRAUMAR.

VI SKULLE HA GJORT NATURSTUDIAR, VI SKULLE HA LESE OG SKRIVE SAMAN.

EG OG SIVERT.

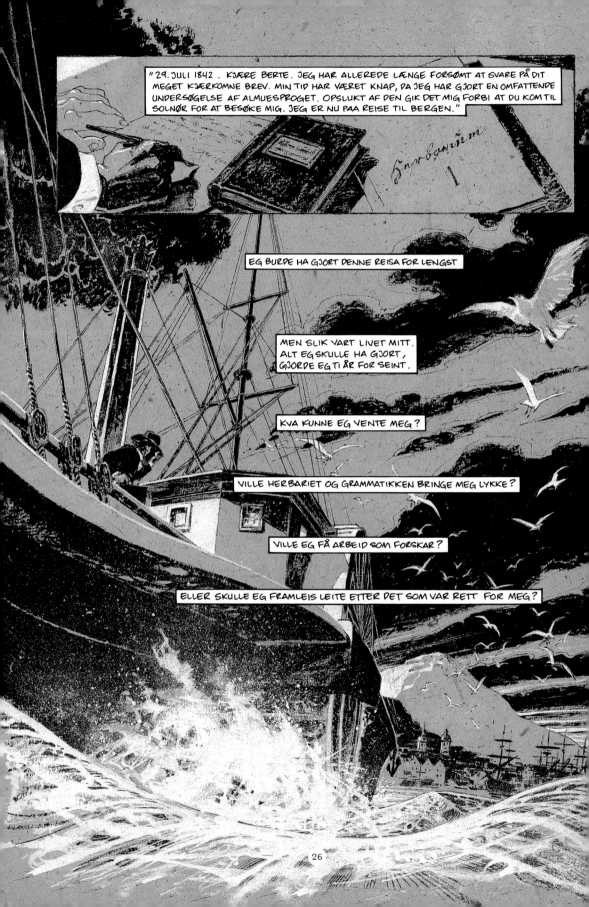

"29. JULI 1842 . KJÆRE BERTE. JEG HAR ALLEREDE LÆNGE FORSØMT AT SVARE PÅ DIT MEGET KJÆRKOMNE BREV. MIN TID HAR VÆRET KNAP, DA JEG HAR GJORT EN OMFATTENDE UNDERSØGELSE AF ALMUESPROGET. OPSLUKT AF DEN GIK DET MIG FORBI AT DU KOM TIL SOLNØR FOR AT BESØKE MIG. JEG ER NU PAA REISE TIL BERGEN."

EG BURDE HA GJORT DENNE REISA FOR LENGST

MEN SLIK VART LIVET MITT. ALT EG SKULLE HA GJORT, GJORDE EG TI ÅR FOR SEINT.

KVA KUNNE EG VENTE MEG?

VILLE HERBARIET OG GRAMMATIKKEN BRINGE MEG LYKKE?

VILLE EG FÅ ARBEID SOM FORSKAR?

ELLER SKULLE EG FRAMLEIS LEITE ETTER DET SOM VAR RETT FOR MEG?

HAR DE EN AVTALE MED BISP NEUMANN?

EG HAR NOKO EG VIL SYNE HAN.

DENNE VEI.

NO NÅR NOREG ER SJØLVSTENDIG, MÅ VI HA EIT NORSK SPRÅK.

SANT NOK! MEN DET NORSKE SPRÅKET ER JO BLITT BORTE!

SLETT IKKJE

DET ER EN HERRE HER SOM HAR NOE TIL DEM.

FOLK RUNDT OM I BYGDENE HAR HALDE PÅ MÅLET SITT. VI BURDE SAMLE INN ORDA DEIRA. DERETTER KUNNE VI GJERE EIT UTVAL, OG FINNE ATT DET NORSKE SPRÅKET.

INTERESSANT! VIRKELIG INTERESSANT, HERR AASEN! OG ALT DETTE HAR DE SKREVET NED?

EG HAR MED EIN GRAMMATIKK. OG EIT HERBARIUM.

"TRONDHJEM, 1842. DEN TRONDHJEMSKE ALMUES SPROG ADSKILLER SEG FRA DE SYDLIGE DIALEKTER VED SINE FORKORTEDE ORD, ISÆR VED DEN HYPPIGE BORTKASTELSE AF E'ET I ORDENES ENDELSER. SAALEDES SIGER MAN : GRYT, KLOKK, DRIKK, GUTANN, HESTANN..."

"JEG HAVDE TIDLIGERE MEENT AT MAN JUST I STORE FORSAMLINGER HAR ANLEDNING TIL AT IAGTTAGE SPROGET; MEN JEG ERFAREDE SEN- ERE, AT DENNE ANLEDNING SLET IKKE ER DEN BEDSTE. DE FLESTE OPLYSNINGER OM DIALEKTEN FIK JEG IMIDLERTID AF SKOLE- LÆREREN NILS HAUGE FRA HAFSLO, SOM UAGTET SIN MEGEN LÆSNING DOG ENDNU BRUGTE OG FORSTOD SIT EGENTLIGE. MODERSMAAL "

"AF EN BERETNING OM FØDTE OG DØDE I AARETS LØB, SOM BLEV OPLÆST I KIRKEN, VISTE DET SIG, AT HVERT SYVENDE BARN VAR UÆGTE AF DE FØDTE I PRÆSTEGJELDET; DESUDEN FORTALTE MAN OM FLERE FRUENTIMMERE SOM HAVDE TRE ELLER FIRE BØRN UDENFOR ÆGTESKAB."

"DET ER EN STOR LYKKE FOR DEN FREMMEDE, SOM REISER I DISSE FOLKETOMME EGNE, AT HAN IKKE HAR AT RÆDDES FOR SKJÆLMER OG TYVER, OG AT HAN PAA DE FAA STEDER, HVOR FOLK FINDES, BLIVER MODTAGEN MED VELVILLIE."

"IVAR... JEG SKYLDER AT UNDERRETTE DIG OM ... AT SIDEN DU HAR FORSØMT AT SVARE MIG, TØR JEG IKKE ANDET END FESTE MIG TIL EN ANDEN. FARVEL DA, MIN VEN ... DIN LÆNGE FORBUNDNE BERTE."

"PAA DENNE REISE VAR JEG STÆRKT ANGREBEN AF EN BRYSTSYGDOM, FORMODENTLIG FORAARSAGET AF DEN MEGET STÆRKE KULDE,.."

"REGN."

"REIST MED VANDSKYDS".

"KOLD LANDVIND."

"1847. GJORDE FERDUG MI FORMLÆRA (GRAMMATIK) I TRONDHEIM, REISTE SIDAN (1 SEPTEMBER) YVER GULDALEN OG ØYSTERDALEN TIL CHRISTIANIA."

DÅ BLIR DEI NOK FORNØGDE I DET KONGELEGE SELSKAPET!

OG KANSKJE GIR DEI DEG FAST LØN? SÅ DU BLIR EIN VELHALDEN MANN, OG KAN...

SUSANNE, KJEM DU?

DET ER IKKJE SIKKERT VITENSKAPSSELSKAPET BLIR SÅ BEGEISTRA OVER DET EG TENKJER Å GJERE VIDARE.

GJER DU IKKJE DET DEI HAR BEDE DEG OM?

MEIR ENN DET!

EG HAR PLANAR!

PLANAR DEI HØGE HERRAR IKKJE VIL LIKE!

SUSANNE! KVA ER DET MED DEG?

IVAR HAR PLANAR! SOM INGEN SKAL VITE OM!

HAN ER SOM FØR, HAN IVAR, HEILT GALEN!

EG HAR IKKJE GJORT INNSAMLINGA FOR Å SYNE KVA SOM ER GÅTT TAPT.

EG VIL SYNE KVA VI FRAMLEIS HAR, EIT LEVANDE TALEMÅL! DET KAN JAMVEL SKRIVAST!

BLIR FOLKEMÅLET SKRIFTSPRÅK, BLIR DET LETTARE FOR FOLK Å LESE. OG SÅ BLIR DET LETTARE FOR DEI Å FÅ FRAM TANKANE SINE.

SLIK DU LÆRTE OSS!

SLIK HAN IVAR LÆRTE OSS, SUSANNE!

SUSANNE?

RASKS "VEJLEDNING TIL DET ISLANDSKE ELLER GAMLE NORDISKE SPROG" ER EN GLIMRENDE BOK, SYNES DE IKKE?

FOR IKKE Å SNAKKE OM "UNDERSØGELSE OM DET GAMLE NORDISKE ELLER ISLANDSKE SPROGS OP- RINDELSE."

JA, OG SÅ HANS FRISISKE SPRÅKLÆRE, DEN KJENNER DE VEL..

EG MÅ DESSVERRE...

MAURITS HANSENS GRAMMATIKK, SA DE?

EG MÅ BE OM Å FÅ KOMME TIL DYKK SEINARE...

ORSAK...

39

EG BYRJA PÅ ORDBOKA.

GODE DAGAR – MINE GODE DAGAR – NÅR KOM DEI?

VAR DET NÅR EG SÅG ATT HENNE SOM EG ALLTID TENKTE PÅ? HO SOM VAR SÅ LANGT BORTE?

SUSANNE, MI SUSANNE.

I 1850 KOM ORDBOKA UT.

SALET GJEKK IKKJE STRYKANDE.
MEN PENGAR HADDE EG LIKEVEL.
EG HADDE FÅTT FAST LØN
FRÅ STATEN

Ordbog over det
Norske Folkesprog

af

Ivar Aasen

VAR DET TID FOR Å TENKJE
PÅ GIFTARMÅL?
SKRIVE EIT BREV?

Kjære Susanne!
Det skulde være mig usigelig kjært om De
vilde sende mig nogle Ord. Det er
saa længe siden jeg skrev til din Bror om m...
om Ægteskab ~ om dig og mig

EG VENTA PÅ SVAR FRÅ SUSANNE. EG VENTA OG ARBEIDDE.

HERR UNGER!

STÅR DU HER OG NOTERER, AASEN?

EG VIL HA MED ARBEIDS- FOLK SINE ORD OG UTTRYKK.

JEG SKAL SI DEG DET, I ALL FORTROLIG- HET SELVSAGT: MUNCH MENER DU ER PÅ AVVEIER!

DU LEGGER FOR STOR VEKT PÅ DET FOLKELIGE I DEN NYE ORD- BOKEN DIN.

EG VIL AT FOLK SKAL FIN- NE SINE EIGNE ORD NÅR DEI LES I BOKA MI.

IVAR AASEN! EG HAR LEITA SLIK ETTER DEG!

EG VIL BEINTFRAM TAKKE DEG FOR ARBEIDET DU GJER!

DU GJER NO SJØLV EIT VITUGT ARBEID!

MEN SYNES DE IKKE HERR VINJE, AT AASEN KON- SENTRERER SEG FOR MYE OM DET FOLKELIGE?

TVERT OM! VI FÅR PRØVE OG FEILE. DU BURDE SKRIVE EIT- KVART, AASEN, SÅ VI FÅR LESE DET NYE MÅLET DU VIL GJE FOLK!

AT FOLK ... VANLIGE FOLK ... SKULLE VÆRE SÅ OPPTATT AV DISSE SPØRS- MÅLENE, ER DET MANGE SOM BETVILER.

"BEGYNT MED ORDSPROGENE.

SYGELIG.

PAA BIBLIOTHEKET, LAANT "HØLSCHERS LIEDER UND SPRUCHE."

SVAGELIG.

LESEPRØVE PÅ "ERVINGEN".

ILDEBEFINDENDE.

SYGELIG.

SYGELIG.

SYGELIG."

IVAR, HVA ER DET MED DEG?

PÅ NYTT MÅTTE EG UT,

TIL INNHERAD, KONGSVINGER, TYNSET OG KVIKNE, TRONDHEIM, STEINKJER, DOMBÅS OG VALDRES.

ER DU HER I SLIDRE, MARIE? HJÅ PROSTEN?

EG ARBEIDER HER. DU TRUDDE VEL IKKJE EG HADDE GIFTA MEG MED HAN?

ER DU IKKJE FERDIG MED SAMLINGANE DINE?

NO FØRST ER DET BYRJAR!

NO? KOSS KAN DU SEIE SLIKT? DU HAR DÅ IKKJE DRIVE MED ANNA ENN Å ARBEIDE?

ORD VAR ALT DU HADDE AUGA FOR!

SÅG DU IKKJE KOR SJUK SUSANNE VAR DÅ HO OG EG TREFTE DEG I CHRISTIANIA?

MARIE, HO SA ALT RETT UT. OG EG FORTALDE KVA TANKAR EG HADDE TUMLA MED, HEILT FRÅ TIDA PÅ SOLNØR.

DU VIL SKAPE EIT NYTT NORSK SKRIFTSPRÅK?

DET ER UMOGLEG!

EG TRUR EG KAN GREIE DET.

OG DERFOR HAR DU SKUBBA ALT ANNA UNNA? TAR DET ALDRI SLUTT DESSE REISENE OG SKRIVINGA?

NETT NO SET EG OM EI SOGE FRÅ DEN NORRØNE LITTERATUREN.

OG KVA VIL DU MED DET?

EG VIL GJE DEI HØGE HERRAR LITT Å TENKJE PÅ!

NOEN PÅSTÅR AT AASENS SPRÅK ER EN DØD SPRÅKAUTOMAT.

HERR AASEN BURDE GI SEG FØR HAN FORDERVER DET NORSKE SPRÅK!

DEN DØDE AUTOMAT AN-KOMMER!

NARRAKTIG!

GODT VAR DET Å KOMME TIL MARIE.

FOLK MÅ FÅ LÆRE Å LESE SITT EIGE SPRÅK, FØRST DÅ TORER DEI TENKJE SINE EIGNE TANKAR, OG TA STYRING OVER LIVET SITT!

MEN DU, IVAR? STYRER DU DITT EIGE LIV?

EG? KVA TENKJER DU PÅ?

EG TENKJER PÅ BERTE, SOM DU GLØYMDE.

OG SUSANNE, SOM DU IKKJE SÅG.

VAR DET VERKELEG SLIK DU VILLE HA DET?

MARIE – EG KUNNE IKKJE SLEPPE TANKEN PÅ HENNE, IKKJE EINGONG DÅ EG KOM TILBAKE TIL CHRISTIANIA. SÅ EG SKREIV TIL HENNE.

"KJÆRE MARIE... HVIS JEG HADDE VÆRET I DET MINDSTE TI AAR YNGRE, KUNDE JEG ENDOG HAVE SPEKULERET PAA NOGET RIKTIG STORT, OG IKKE NOGET MINDRE END ET FRIERI."

DU SPØR MEG, IVAR...

...OM EG VIL KOMME OG LEVE MED DEG OG ALLE ORDA DINE, ALLE IDEANE DINE?

EG TENKTE...

EG TENKJER DU FÅR VELJE, EG, IVAR.

PÅ NYTT DROG EG TIL BYEN MED HOVUDET FULLT AV MARIE-GRILLER.

DET VAR IKKJE ANNA Å GJERE ENN Å SKRIVE TIL HENNE OG FORTELJE AT EG MÅTTE FULL-FØRE DET EG HADDE BYRJA PÅ. HO KUNNE VEL LIKEVEL KOMME TIL MEG?

SVARET HENNAR KOM FORT,

OG VAR UTRIVELEG.

49

EG HELDT FRAM. EG BYRJA PÅ NYTT. EG VILLE LAGE EI NY OG BETRE ORDBOK.

ER DET AVISA DI DU SLIT PÅ?

VISST ER DET "DØLEN"!

HAN KJEM IKKJE TIL FASTE TIDER?

"DØLEN", VEIT DU, ER IKKJE EIT DAUDT BLAD.

"DØLEN" ER EIT MENNESKE! LEVANDE SOM DIKTA DINE I "SYMRA"!

DU SKRIV VEL MEIR SLIKT? TIL "DØLEN", KANSKJE?

DET ER DEN NYE GRAMMATIKKEN EG STREVAR MED NO.

KORLEIS SKAL DET BLI MED *HAN* NÅR DU LIGG HER?

"DØLEN" FÅR KOMME NÅR HAN VIL. DU FÅR ARBEIDE MED DEN NYE ORD-BOKA DI.

EG KJEM MED EIT DIKT TIL "DØLEN".

EG VILLE HA SETT DEN FØR EG DROG HERI-FRÅ.

DET ER FLEIRE ENN EG SOM VENTAR PÅ DEN BOKA!

VINJE FEKK IKKJE SJÅ DEN NYE ORDBOKA. HO VART IKKJE FERDIG. EG FANN ALLTID NYE ORD SOM MÅTTE MED, MEN TIL SLUTT KOM DAGEN DÅ EG MÅTTE SEIE MEG NØGD OG BYRJE PÅ FORORDET.

PAPIRA! PASS PAPIRA MINE!

DET ER EN HERRE HER! HAN HAR NOE TIL DEM.

JEG ER KONG CARLS KAMMERHERRE. PÅ OPPDRAG FRA HANS MAJESTET.

FOR DERES DIKTING OG STORE FORSKERARBEID, VIL KONGEN HEDRE DEM, IVAR AASEN.

KONGELEG ROS VAR GODT Å FÅ. MEN DET VAR DET VINJE HADDE SAGT, EG TENKTE MEST PÅ. VAR DET VERKELEG SLIK AT FOLK VENTA PÅ ORDBOKA MI? VILLE DEI I SÅ FALL KJENNE ATT SINE EIGNE ORD?

VILLE DEI SKJØNNE AT NO, NO VAR DET OPP TIL DEI?

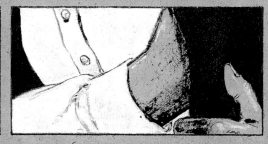

Meir om IVAR AASEN

Side 5 Ivar Aasen (1813–1896) var språkmann og dialektforskar. Han grunnla eit nytt skriftspråk, landsmålet. Sidan arbeidde han for å syne at det nye språket kunne brukast til alt, lyrikk og drama så vel som sakprosa.

Side 6 Ivar Aasen laga lister over viktige hendingar i livet sitt. Her er eit utval:

1820: Eg lærer å lese.

1826–31: Eg arbeider heime på garden.

1831-33: Omgangsskulelærar i Ørsta.

1833-35: I lære hjå prost H.C.Thoresen i Herøy.

1835-42: Huslærar hos kaptein Daae på Solnør.

1842-47: Eg reiser rundt i landet og samlar ord.

1847: Eg buset meg i Oslo og arbeider vidare med samle– og granskingsarbeidet.

Side 7

Som ungdom noterte Ivar Aasen trastefangsten sin, planter han hadde sett, bøker han hadde lese eller pengar han hadde brukt. Han lika å lage system, ordne og sjå samanhengar. Denne evna gjorde han seinare til ein dyktig språkforskar.

Side 8   I nabolaget til Åsen-garden låg Ekset. Ekset var eit mønsterbruk.
Her var husapotek, trykkeri og ei boksamling på
500–600 band. Ivar Aasen var så heldig å ha
ein venn på Ekset, Sivert.

Side 9   Mens Ivar Aasen var omgangsskulelærar,
fekk han ei avskrift av N. Lang Nissens *Grundtræk*
af dansk Sproglære (1808). Her oppdaga
Ivar at det fanst faste reglar som låg til grunn for
alle språk. Denne kunnskapen bygde han vidare på.

Side 17   Ivar Aasen sa sjølv at han ikkje
kom frå fattige kår. Dei hadde
både mat, klede og bøker på Åsen.
Garden var likevel ikkje stor nok til
at heile syskenflokken kunne busetje seg der. Ivar med sine uvanleg store
boklege evner, hadde gode sjansar til å få seg ei utdanning. Men det kosta
pengar, og så mykje pengar hadde dei ikkje på Åsen. Prost Thoresen
ville hjelpe Ivar Aasen fram til presteutdanning, men Ivar takka nei.
Han ville finne sin eigen veg.

Side 23   Då Ivar Aasen byrja å skrive opp talemålet, var det
ingen som heldt dialekt for å vere fullgodt språk.
Folk meinte at dei som snakka dialekt, snakka feil.
Dei som snakka mest «feil», var dei som las minst.
Dei vart rekna som ulærde eller dumme, og kunne
sjølvsagt ikkje få viktige embete eller styrande stillingar.
Ivar Aasen skapte vørdnad for talemålet til vanlege folk; arbeidsfolk og
bønder. Arbeidet hans med landsmålet har derfor hatt mykje å seie for
samfunnsutviklinga i landet vårt.

Side 27 Ivar Aasen meinte at samfunnet var samansett av *landsfolk og embetsfolk.* Som landsfolk rekna han med alt frå husmenn til handverkarar, medan han kalla både borgarar og statstilsette for embetsfolk.

Språket til embetsfolket var dansk, slik opplæringa på skolane var det. Dansk vart såleis nøkkelen både til utdanning og makt. Eit nytt, norsk skriftspråk som var meir naturleg for landsfolket, ville snu om på dette. Bønder og arbeidsfolk ville lettare få utdanning. Med utdanning ville dei få embete, og med embete følgde makt.

Ivar Aasen såg nok dette tidleg, men han sa det ikkje beint ut. Han var nemleg avhengig av økonomisk støtte frå embetsfolket.

Då han i 1851 fekk fast løn frå staten, kunne han ope arbeide for likeverd mellom landsfolk og embetsfolk.

Side 32 Ivar Aasens første målferd varte frå 1842 til 1847. Han byrja på Vestlandet, reiste gjennom Agder-fylka og Telemark, vitja deretter dei fleste Austlands-dalane og somme av flatbygdene på Austlandet. Heilt nord til Helgeland kom han, gjennom Trøndelag. Over 400 mil reiste han for å samle inn alle dei orda som skulle bli grunnlaget for nynorsken.

Side 33 Då Noreg fekk si eiga grunnlov i 1814, fanst det inga nasjonalkjensle mellom folk. Å skape ei slik kjensle var viktig for ein ung nasjon. Men kvar skulle ein finne det nasjonale? Somme samla folkeviser, eventyr og folke-tonar. Ivar Aasen samla ord og seiemåtar. Han var sterkt knytt til folket; til bønder og arbeidsfolk, det var dei han ville framheve. Det kunne han best gjere, meinte han, ved å skape vørdnad for talen og tanken deira.

Side 35 Mens Noreg var i union med Danmark, brukte begge landa dansk som skriftspråk. Dei første åra Noreg var sjølvstendig, heldt nordmennene fram med å skrive dansk. Men kring 1830 byrja strevet med å få eit norsk skriftspråk.

Jonas Anton Hielm (1782-1848) meinte ein kunne fornorske det danske skriftspråket ved å ta bymåla inn i skriftspråket.

Henrik Wergeland (1808-1845) var også ein ivrig talsmann for fornorskinga. Men måten han gjorde det på, vart sterkt kritisert av professor *P. A. Munch (1811-1884).*

Munch såg løysinga i det gamle norrøne språket. Ved å byrje på nytt der «hvor man slapp for 500 aar siden», skulle ein reise ein ny skriftnormal. Då Aasen gjekk inn i debatten om eit nytt skriftspråk, kom han med eit framlegg ingen hadde tenkt på før: Eit skriftspråk som bygde på *alle* dialektane. Han ville at heile landet skulle kjenne seg heime i eit norsk skriftspråk.

Side 43 Ivar Aasens arbeid byggjer på det andre hadde tenkt før. Han var såleis godt orientert om kva andre hadde tenkt om språk og språkbruk både i utlandet og her heime. Han skreiv lister over bøker han hadde lese. Desse listene er å finne i dagbøkene hans.

Side 47 1858 vart eit merkeår for landsmålet og målreisinga. Ivar Aasen omsette *Fridtjofs saga,* J. Prahl nytta landsmålet i boka si *Ny hungrvekja* og A.O. Vinje stifta bladet *Dølen.*

Til og byrje med brukte Vinje eit språk som låg mellom dansk og norsk, men det vart norskare etter kvart.

I 1870-åra begynte Arne Garborg å skrive på landsmål. Han var ein språkleg meister og synte veg for andre forfattarar: Per Sivle, Rasmus Løland, Elias Blix og Anders Hovden.

Side 48 Ivar Aasens arbeid sette varig spor etter seg. Dei mål han hadde sett seg som ungdom, vart røyndom alt mens han levde:

I 1878 vart det bestemt at elevane skulle få bruke dialekten sin på skolen, ingen kunne tvinge dei til å snakke det danske skriftspråket.

I 1885 kom *jamstellingsvedtaket* der Stortinget slo fast at landsmålet skulle vere det eine av to offisielle skriftspråk i Noreg.

Og 1892 kom den såkalla *målparagrafen* inn i skolelovene. Frå no skulle kvar kommune får velje kva mål barna skulle få bruke: landsmål eller bokmål.

Det iherdige arbeidet til Ivar Aasen hadde altså ført fram: Det var blitt lettare å lære seg å lese og å skrive, og dermed var det mogleg for ungdom frå heile landet å skaffe seg utdanning.

Side 49

Ivar Aasen var ein flittig brev - og dagbokskrivar. Reidar Djupedal har samla og systematisert dette veldige materialet i *Ivar Aasen Brev og Dagbøker, band 1-3, Oslo*.

Side 50 Ein venn av Ivar Aasen skreiv ein gong at jentene i Noreg aldri skulle bli tilgjevne hola i sokkane hans Ivar Aasen. Med det meinte han at Ivar Aasen hadde ofra familielivet - sjølve livslukka si - for arbeidet med landsmålet.

Av breva og dagbøkene til Ivar Aasen ser vi at det er to emne han ofte omtalar. Det er først og fremst det stadige arbeidet med språket. Men i tillegg kjem *G-griller,* ei nemning for lengten etter kvinner og giftarmål. Mange av dikta hans er nettopp om kvinner, eller lengten etter dei.

Dei som besøkte Ivar Aasen dei siste leveåra, skildra han som ein forkommen gammal mann. Årsaka til at han ordna seg som han gjorde, kan vi berre gissa oss til. Men det er grunn til å tru at han hadde funne *sin* store kjærleik - arbeidet med språket.

Side 53 Då Ivar Aasen døydde i 1896, hadde han skrive desse bøkene:

Det norske Folkesprogs Grammatik (1848)

Ordbog over det norske Folkesprog (1850)

Prøver af Landsmaalet i Norge (1853)

Norske Ordsprog (1856)

Norsk Grammatik (1864)

Norsk Ordbog (1873)

Norsk Maalbunad (1876)

Norsk Navnebog (1878)

Dessutan skreiv han songar, dikt og skodespel:

Fem viser i søndre Søndmørs Almuesprog (1843)

Symra (1863)

Ervingen (1855)

Fritjofs Saga (1858)

Heimsyn (1875)

Side 55 Det er skrive mykje om
Ivar Aasen – med litt ulikt
syn på både mannen og verket:
Hovden, Anders: *Ivar Aasen i kvardagslaget.*
Oslo, 1996
Koht, Halvdan: *Ivar Aasen – Granskaren,*
maalreisaren, diktaren. 1913
Venås, Kjell: *Livssoga åt Ivar Aasen, Oslo, 1996*
Walton, Stephen J.: *Ivar Aasens kropp, Oslo, 1996*

Ivar Aasen hadde ein liten sølvdåse med dobbel botn. Øvst låg penne-splittane hans. Under dei - i eit hemmeleg rom - låg ein hårlokk.

Å skrive om eit menneske er som å opne nye, hemmelege rom. *Alt* kan du likevel ikkje få med, du må velje.

Denne vesle boka er ei kort forteljing om eit langt liv, berre ein del av Ivar Aasens livssoge er komme med. For eit liv er eit liv. Det er berre gjenstandar som blir att fullt og heilt.

Som sølvdåsen til Ivar Aasen på Aasen-museet i Ørsta.